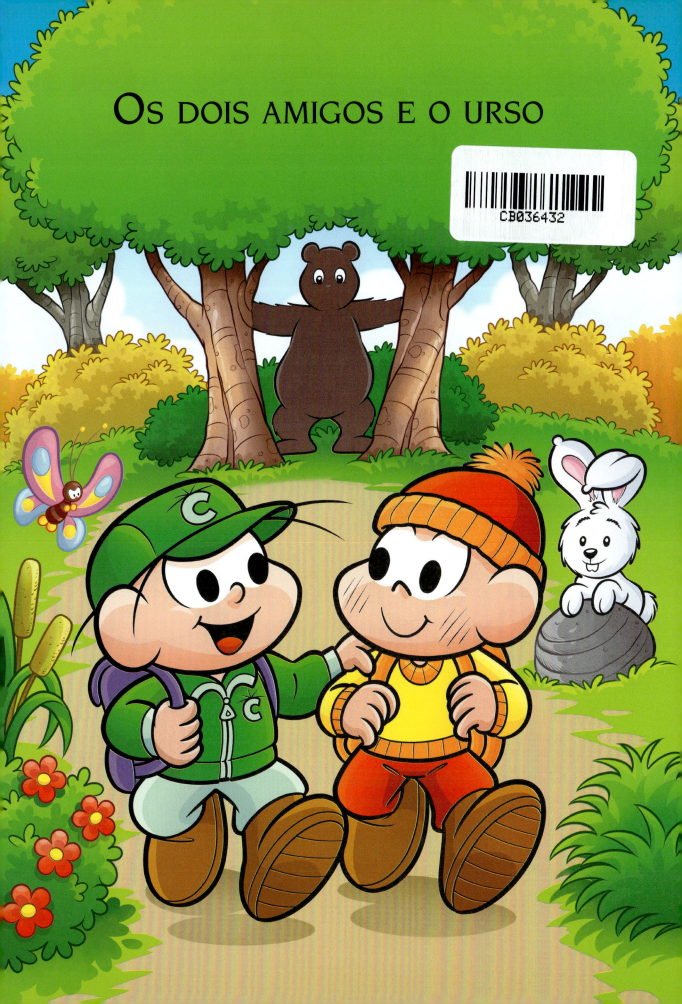

AS AULAS ESTAVAM ACABANDO, AS FÉRIAS CHEGANDO E OS DOIS AMIGOS PLANEJAVAM ACAMPAR NA FLORESTA. PELA PRIMEIRA VEZ, ELES DORMIRIAM NUMA FLORESTA DE VERDADE, E NÃO NO QUINTAL DE CASA.

DAVA ATÉ FRIO NA BARRIGA SÓ DE PENSAR EM DESBRAVAR TRILHAS, CRUZAR RIACHOS, SUBIR EM ÁRVORES E MUITO MAIS!

— O QUE VOCÊ COLOCOU NA MOCHILA?
— AH, MUITAS COISAS ÚTEIS!
— VAI DIZER QUE VOCÊ NÃO SABE DO QUE PRECISAMOS PARA ACAMPAR?
— SEI, SIM! LANTERNA, CANTIL, REPELENTE, PROTETOR SOLAR, CHOCOLATE, PIPOCA, URSINHO DE PELÚCIA... NÃO PODE FALTAR NADA, AFINAL, NÃO TEM SUPERMERCADO NA FLORESTA!

ENFIM, CHEGOU O GRANDE DIA! E OS AMIGOS, EMPOLGADOS E DE MOCHILA NAS COSTAS, SE PREPARARAM PARA PARTIR.
— E O BEIJO DE DESPEDIDA DA MAMÃE?
— AH, MÃE. DEIXA DISSO, JÁ SOU GRANDE! — DISSE UM DELES, VERMELHO DE VERGONHA.
— AH, NÃO! VOCÊ SERÁ SEMPRE O MEU BEBÊ. E TOME CUIDADO COM OS LOBOS.
— PODE DEIXAR! NÓS JÁ SOMOS GRANDINHOS, E SABEMOS NOS DEFENDER.

O PAI DO OUTRO AMIGO APROVEITOU PARA ACRESCENTAR MAIS UM CONSELHO:

— E CUIDADO COM OS URSOS! EU TOPEI COM UM NUM ACAMPAMENTO NA INFÂNCIA E NÃO SEI COMO SOBREVIVI PARA CONTAR ESTA HISTÓRIA!

— AH, PAI! HÁ MUITO TEMPO QUE NÃO SE OUVE FALAR DE ATAQUES DE URSOS POR AQUI.

— MAS PODE DEIXAR, TIO! SE UM APARECER, TRAREMOS A PATA DELE COMO TROFÉU! — COMPLETOU O OUTRO GAROTO.

E LÁ SE FORAM OS DOIS AMIGOS, CONTANDO AS PERIPÉCIAS QUE ESCUTARAM DE SEUS PAIS.
— SERÁ QUE TEM URSOS E LOBOS POR AQUI?
— NÃO SEJA BOBO! MAS, SE APARECER UM, EU ACENDO UMA FOGUEIRA E FAÇO UMA TOCHA. OUVI FALAR QUE ELES SE AFASTAM QUANDO HÁ FOGO.

— AGORA É A SUA VEZ: O QUE VOCÊ FARIA SE UM URSO APARECESSE?

— AH, É FÁCIL! PEGARIA A MINHA CORDA E COMEÇARIA A RODOPIÁ-LA. ISSO O ASSUSTARIA E O IMPEDIRIA DE SE APROXIMAR DA GENTE — RESPONDEU O AMIGO.

— O MEU PAI É UM HERÓI! ELE SE LIVROU SOZINHO DE UM LOBO! QUANDO A FERA O ATACAVA, ELE SE DEFENDIA E A ESPETAVA COM UM BASTÃO.
— E O QUE ACONTECEU?
— DEPOIS DE VÁRIAS INVESTIDAS, O LOBO PÔS O RABO ENTRE AS PERNAS E FUGIU PRA MATA.

— ENTÃO OUVE ESTA: UMA VEZ, NUMA TRILHA, UM TIGRE PULOU DIANTE DO MEU PAI!

— UAU! ELE NÃO SENTIU MEDO?

— NÃO! ELE FICOU TOTALMENTE IMÓVEL. ENTÃO, APARECEU UM PORCO-ESPINHO, QUE LANÇOU SEUS ESPINHOS, E O TIGRE, FERIDO, SAIU CORRENDO.

APÓS ALGUMAS HORAS, OS AMIGOS ENCONTRARAM UMA CLAREIRA, QUE É UM ÓTIMO LUGAR PARA ACAMPAR! HAVIA SOMBRA E, NÃO MUITO LONGE, UM RIACHO E, ANTES QUE ESCURECESSE, COMEÇARAM A MONTAR A BARRACA.
— ONDE ESTÁ O MANUAL?
— VOCÊ QUE FICOU DE TRAZÊ-LO! NÃO O COLOCOU NA MOCHILA?
— ACHEI QUE TIVESSE FICADO NA SUA CASA...

APÓS ALGUMAS TENTATIVAS, ELES MONTARAM A BARRACA. O PRÓXIMO PASSO FOI DIVIDIR AS TAREFAS. ENQUANTO UM PENDURAVA O LAMPIÃO, O OUTRO FAZIA A FOGUEIRA.

COM TUDO PRONTO NO ACAMPAMENTO, OS DOIS PEGARAM AS VARAS, OS ANZÓIS, A LINHA, AS ISCAS, E FORAM PESCAR O JANTAR.

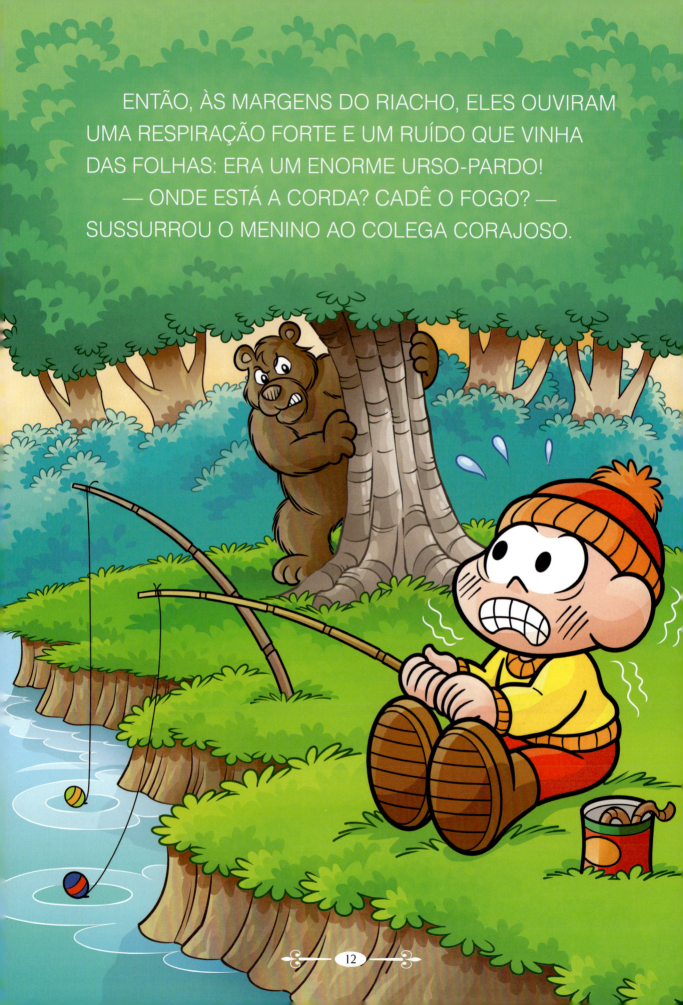

— ESQUECE ISSO! SEBO NAS CANELAS — GRITOU O VALENTÃO, PREOCUPADO COM SUA PRÓPRIA SEGURANÇA. NUM PULO, SUBIU NUMA ÁRVORE E DEIXOU O AMIGO PARA TRÁS.

O OUTRO CORREU EM OUTRA DIREÇÃO, TROPEÇOU NUM GALHO E CAIU NO CHÃO! SEM PODER ENFRENTAR O URSO, PERMANECEU IMÓVEL.

O URSO FICOU EM PÉ SOBRE AS PATAS TRASEIRAS E FOI ATÉ UMA ÁRVORE PARA COÇAR AS COSTAS. LÁ EM CIMA, PENDURADO NOS GALHOS, UM DOS AMIGOS TREMIA FEITO VARA VERDE. ENQUANTO ISSO, LÁ EMBAIXO, NO CHÃO, SEU COMPANHEIRO CONTINUAVA DEITADO, IMÓVEL, FINGINDO-SE DE MORTO. AFINAL, SEU PAI DISSE QUE OS URSOS NÃO TOCAM EM QUEM JÁ MORREU.

FOI QUANDO O ANIMAL SE APROXIMOU DELE. CHEIROU AQUI E ACOLÁ, E O MENINO SE MANTEVE ESTÁTICO, NÃO MEXIA UM MÚSCULO SEQUER, NEM DA CABEÇA NEM DO DEDÃO DO PÉ.

QUANDO O URSO SE DEU POR SATISFEITO, CONVENCIDO DE QUE O GAROTO ESTAVA MORTINHO, FOI EMBORA, SEM FAZER MAL À CRIANÇA.

LÁ DE CIMA DA ÁRVORE, O VALENTÃO VIU TUDO.

ENTÃO, ELE DESCEU DA ÁRVORE E PERGUNTOU SE O URSO DISSE ALGO NO OUVIDO DO AMIGO.
— É CLARO! — RESPONDEU INDIGNADO.
— ELE ME DEU O MELHOR CONSELHO DE TODOS!
— E VOCÊ NÃO VAI ME CONTAR? AFINAL, EU SOU O SEU MELHOR AMIGO E COMPANHEIRO DE ACAMPAMENTO E DE AVENTURAS!
— ELE ME DISSE PRA NÃO ANDAR COM PESSOAS QUE ABANDONAM O AMIGO DIANTE DO PERIGO.